De la même auteure chez Québec Amérique

Jeunesse

SÉRIE CHARLOTTE

Une infirmière du tonnerre, Hors collection, 2018.
Une gouvernante épatante, coll. Bilbo, 2009 ; nouvelle édition, 2018.
La Fabuleuse Entraîneuse, coll. Bilbo, 2007 ; nouvelle édition, 2017.
L'Étonnante Concierge, coll. Bilbo, 2005 ; nouvelle édition, 2017.
Une drôle de ministre, coll. Bilbo, 2001 ; nouvelle édition, 2016.
Une bien curieuse factrice, coll. Bilbo, 1999 ; nouvelle édition, 2015.
La Mystérieuse Bibliothécaire, coll. Bilbo, 1997 ; nouvelle édition, 2015.
La Nouvelle Maîtresse, coll. Bilbo, 1994 ; nouvelle édition, 2015.

La Nouvelle Maîtresse, Livre-Disque, 2007.

SÉRIE JACOB JOBIN

La Grande Quête de Jacob Jobin, Tome 3 – La Pierre bleue,
   coll. Tous Continents, 2010.
La Grande Quête de Jacob Jobin, Tome 2 – Les Trois Vœux,
   coll. Tous Continents, 2009.
La Grande Quête de Jacob Jobin, Tome 1 – L'Élu, coll. Tous Continents, 2008.

SÉRIE ALEXIS

7 titres parmi lesquels :
Toto la brute, coll. Bilbo, 1998.
Valentine picotée, coll. Bilbo, 1998.
Marie la chipie, coll. Bilbo, 1997.

SÉRIE MARIE-LUNE

Pour rallumer les étoiles – Partie 2, coll. Titan +, 2009.
Pour rallumer les étoiles – Partie 1, coll. Titan +, 2009.
Un hiver de tourmente, coll. Titan, 1998.
Ils dansent dans la tempête, coll. Titan, 1994.
Les grands sapins ne meurent pas, coll. Titan, 1993.

SÉRIE MAÏNA

Maïna, Tome II – Au pays de Natak, coll. Titan +, 1997.
Maïna, Tome I – L'Appel des loups, coll. Titan +, 1997.

La Vérité sur les vraies princesses, coll. Albums, 2012.
Ta voix dans la nuit, coll. Titan, 2001.

Valentine picotée

Projet dirigé par Marie Demers

Conception graphique et mise en pages : Nathalie Caron
Révision linguistique : Flore Boucher
Illustrations : Andréane Bossé

Québec Amérique
7240, rue Saint-Hubert
Montréal (Québec) Canada H2R 2N1
Téléphone : 514 499-3000, télécopieur : 514 499-3010

Nous reconnaissons l'aide financière du gouvernement du Canada.

Nous remercions le Conseil des arts du Canada de son soutien.
We acknowledge the support of the Canada Council for the Arts.

Nous tenons également à remercier la SODEC pour son appui finan-
cier. Gouvernement du Québec – Programme de crédit d'impôt pour
l'édition de livres – Gestion SODEC.

Canada | Conseil des arts Canada Council du Canada for the Arts | **SODEC** Québec

**Catalogage avant publication de Bibliothèque et Archives nationales
du Québec et Bibliothèque et Archives Canada**

Titre : Valentine picotée / Dominique Demers ; illustrations, Andréane
Bossé.
Noms : Demers, Dominique, auteur. | Bossé, Andréane, illustrateur.
Description : Édition originale : Montréal : La Courte échelle, 1991.
Identifiants : Canadiana 20190011386 | ISBN 9782764438398
Classification : LCC PS8557.E4683 V34 2019 | CDD jC843/.54—dc23

Dépôt légal, Bibliothèque et Archives nationales du Québec, 2019
Dépôt légal, Bibliothèque et Archives du Canada, 2019

DOMINIQUE DEMERS

Illustrations d'Andréane Bossé

Valentine picotée

Québec Amérique

1
Une comète dans la classe

Les filles, c'est nouille. Très nouille. Des vraies pâtes, fades et molles comme des spaghettis trop cuits.

La preuve? Ma sœur! Marie-Cléo. Quatre ans et demi. Un vrai désastre sur deux pattes. Son passe-temps préféré? Épingler des barrettes dans ses cheveux. Le reste du temps? En poser dans la crinière de ses 22 000 poupées Barbie.

Depuis que j'ai une sœur, je sais que les filles, c'est ennuyant. Comme une pizza sans pepperoni. Ou des éliminatoires de hockey sans le Canadien.

Résumé : je trouve les filles nouilles et ennuyantes. Sauf qu'à 10 h 41 ce matin, j'ai presque changé d'idée.

J'étais sagement assis dans la classe. Je lisais une bande dessinée cachée sous mon cahier d'exercices de mathématiques. Macaroni nous expliquait les divisions à deux chiffres. Le vrai nom de ma maîtresse, c'est Mélanie Marcil. Je l'ai rebaptisée Macaroni, mais j'aurais aussi pu l'appeler Ravioli, Lasagne ou Spaghetti.

Donc, Macaroni parlait des divisions à deux chiffres quand une comète a atterri dans la classe.

J'ai tout de suite pensé à une comète parce que ça m'a ébloui. Depuis, je me dis qu'il doit y avoir des exceptions à la règle des filles nouilles.

Les vraies comètes ont des noms bizarres comme Halley (qui se prononce Ha! Lé) ou Hyakutake (que personne ne sait comment prononcer). Ma comète à moi a un beau nom, rare et doux : Isabella.

C'est Macaroni qui l'a dit :

— Les amis, nous avons une nouvelle dans la classe. Elle s'appelle Isabella. Elle est née en Colombie, un pays de l'Amérique du Sud, mais elle vit au Canada depuis longtemps déjà.

Pendant que Macaroni nous montrait la Colombie sur la carte du monde, j'ai gardé les yeux vissés sur ma belle comète.

Elle a de longs cheveux noirs très brillants. Je gage qu'ils sont encore plus soyeux que les poils de Bilou, notre gros minou.

Ses yeux bruns ont la couleur du chocolat fondant. Et son sourire est aussi éclatant qu'un soleil de vacances.

Pendant que tous les élèves de la classe apprenaient qu'il faut traverser plein de pays pour passer de la Colombie au Canada, Isabella m'a regardé. Et elle a

compris qu'Alexis Dumoulin-Marchand est le plus gentil, le plus intelligent et le plus beau de tous les garçons de la classe.

La preuve? Elle m'a souri.

2

L'aaamooourrr

— *Alexzis, Alexzis, zai deziné un poizon-zie!*

Au secours! Ma sœur vient d'arriver de la garderie. En plus de tous ses autres défauts, ma sœur zézaie.

Traduction: «Alexis, Alexis, j'ai dessiné un poisson-scie!»

Elle me colle son dessin sur le nez. Comme si j'allais me moucher avec son poisson outil. On dirait plutôt un bâton de hockey. Ou peut-être une banane.

Parce que je suis trop gentil, je dis :

— C'est très beau, Marie-Cléo. On dirait un vrai poisson-scie.

Normalement, pour me débarrasser d'elle, j'ajouterais : «Va voir tes poupées maintenant. Elles sont très dépeignées.» Mais puisque je me suis donné pour mission d'étudier les filles, je lui permets de rester dans ma chambre.

Remarque que Marie-Cléo, c'est plus un bébé qu'une fille !

Ça fait une semaine qu'Isabella est arrivée dans notre classe. Le premier jour,

Macaroni l'a installée devant moi. D'habitude, c'est la place de Raphaël, mais le cornichon avait attrapé la varicelle.

Toute la journée, Isabella a laissé ses longs cheveux chatouiller mes cahiers. Ils coulent dans son dos en faisant des vagues et sentent les cerises. Vus de près, ils ont l'air encore plus doux. J'avais très envie d'y toucher.

Mais pas question! Je me méfie trop de Diego. Il passe son temps à espionner tout le monde. Il se prend pour un vrai agent secret.

S'il me voyait caresser les cheveux d'Isabella, même juste du bout de mon petit doigt, je gage qu'il écrirait en lettres géantes, à l'encre fluo, sur les murs de l'école : «ALEXIS AIME ISABELLA.»

Je ne suis pas amoureux d'Isabella. Ce serait vraiment nono de dire ça.

Dans huit jours, c'est la Saint-Valentin. Et pour célébrer le 14 février, Macaroni a inventé un jeu super gênant.

La veille de la Saint-Valentin, chaque élève devra se choisir un Valentin ou une Valentine. Il faudra écrire notre nom sur un bout de papier et celui de la personne qu'on a sélectionnée à côté.

Macaroni va lire tous les papiers, et le jour de la Saint-Valentin, ceux qui se seront choisis passeront la journée ensemble. Ils pourront s'asseoir côte à côte et jouer dans les mêmes équipes. Parce que, bien sûr, Macaroni a prévu toutes sortes d'activités pour célébrer «la fête de l'amitié».

Amitié mon œil! On sait tous que c'est la fête de l'AAAMOOOURRR.

Bien sûr, chaque élève doit participer. Macaroni va piger au sort un Valentin ou une Valentine pour ceux qui n'en ont pas.

Et ÇA, c'est très inquiétant.

Opération Batman

L'an dernier, le 14 février, j'ai reçu deux Valentins. Un de mon désastre sur deux pattes préféré et un autre de Rosaline Lamonde, la pire rapporteuse de la planète!

C'est Rosaline qui m'a dénoncé quand je faisais des bruits de pet pendant que Macaroni avait le dos tourné.

Cette année, si c'est Rosaline ma Valentine, je m'arrache les cheveux, le nez et les yeux.

Ma sœur vient de repartir en emportant son *poizon-zie*. Et soudain… Pouf! J'ai une illumination.

Au fond, les filles, ce n'est pas si compliqué. Pour qu'elles t'aiment, il faut d'abord qu'elles te remarquent.

Avec Isabella, c'est fait. Elle m'a déjà souri une fois. Mais depuis, elle a complètement oublié que j'existais.

Elle m'ignore totalement. On dirait qu'elle ne me voit même pas. Comme si j'étais transparent.

Bon! C'est sûr que si j'arrivais à l'école sans pantalon, avec juste mes petites culottes jaune citron, je pense qu'elle m'accorderait un peu d'attention. Mais disons que je préférerais une autre solution.

Ça tombe bien. J'en ai une !

Opération Batman

But : Montrer à Isabella qu'Alexis Dumoulin-Marchand est le garçon le plus impressionnant de la classe.

Méthode : Faire le super truc de Batman à l'école.

Date : Demain.

Matériel : Batman et quelques graines de tournesol.

Batman, c'est ma gerboise. Elle ressemble à une souris avec des oreilles décollées et des pattes de kangourou. Sa fourrure est un mélange de miel, de lait et de caramel. Elle a une jolie queue avec des poils de pinceau au bout.

Je l'appelle Batman pour intimider mes ennemis. Et aussi parce que les gerboises sont peut-être un peu cousines des chauves-souris.

Je l'ai reçue à ma fête de six ans. Ça fait deux ans qu'on s'entend très bien, elle et moi. Même que je lui ai montré un truc de cirque.

Je cache Batman dans ma poche. Je penche ma tête vers l'arrière et je pose une graine de tournesol sur le bout de mon nez. Puis j'attends.

Batman sort de sa cachette, grimpe jusqu'à mon épaule et vient chercher la graine au-dessus de mes narines.

Après? Elle la mange, voyons! Pour les gerboises, une graine de tournesol, c'est un peu comme un hamburger relish-moutarde-ketchup-mayonnaise-fromage-cornichon. Un régal!

Diego a déjà vu mon truc. Il a admis que c'était super. Ma mère aussi l'a vu, mais elle l'a trouvé é-pou-van-ta-ble! C'est ce qu'elle a dit. Pour se venger, Batman a fait pipi sur le tapis.

4

Batman sème la terreur

La vie, c'est comme ma sœur : un désastre !

Ce matin, comme prévu, Batman m'a accompagné à l'école. Facile ! Ma gerboise adore dormir dans une poche de mon pantalon.

Vers les 9 h 47, Macaroni écrivait au tableau la réponse de l'exercice 43 de la page 89 du cahier intitulé *La grammaire, c'est drôle*. Un tel titre devrait être interdit. C'est des menteries !

En tout cas! J'en ai profité pour déposer la graine de tournesol sur mon nez. Ensuite, il fallait qu'Isabella me regarde. Ça tombe bien: Macaroni l'a installée devant Kim. Et Kim est assise juste à côté de moi!

Kim n'est pas trop nouille. Même que j'aime bien jouer au soccer avec elle dans la cour d'école. Je lui ai fait un signe et elle a tapoté l'épaule d'Isabella, qui s'est retournée.

Batman a été extraordinaire. Isabella l'a vue prendre son hamburger sur mon nez. Mais je ne sais pas si elle a été impressionnée.

Rosaline la nounoune s'est mise à hurler comme si on la sciait en deux. Comme si ma minuscule gerboise était un crocodile géant.

Ma pauvre petite gerboise a eu peur. Elle sautait partout, complètement affolée. J'avais beau l'appeler, tout le monde criait tellement fort qu'elle ne m'entendait pas.

Raphaël a réussi à l'attraper alors qu'elle grimpait sur la tête de William. Batman tremblait de tous ses poils. Son cœur devait battre au moins mille fois la minute. Ses petits yeux effrayés me cherchaient partout.

J'ai réussi à calmer Batman en la flattant et en soufflant doucement sur ses oreilles. Malheureusement, j'ai eu moins de succès avec Macaroni. Elle était mauve de rage. Je craignais que de la fumée lui sorte du nez.

Macaroni a pris une grande inspiration avant de m'adresser la parole :

— Nous sommes à l'école, ici, pas au zoo, Monsieur Alexis Dumoulin-Marchand.

Quand Macaroni appelle un élève monsieur ou madame, c'est parce que ça va très mal pour lui. Je suis rentré à la maison avec une lettre signée Macaroni. Résultat? Une semaine sans télé.

Sept jours! Cent soixante-huit heures. Dix mille quatre-vingts minutes. En pleine saison de hockey. Je risque de mourir avant la fin du supplice.

Avant de mourir, j'aimerais bien qu'Isabella soit ma Valentine. Hier, pendant le cours de gym, je lui ai fait une passe au hockey-bottine. Et elle a marqué un but!

Elle ne m'a pas dit merci ni rien, mais c'est normal. Imagines-tu les joueurs de la Ligue nationale échanger des s'il vous plaît et des mercis sur la patinoire?

Le problème, c'est que je ne sais pas du tout si Isabella me trouve de son goût. Elle préfère peut-être les comiques comme Raphaël. Ou les je-me-pense-bon comme Jérémie. Ou les bolés comme Vu. Ou les agents secrets comme Diego.

Moi, je suis juste moi. Alexis Dumoulin-Marchand. Fils de Dominique Dumoulin et de Michel Marchand.

Ah oui! Et frère de Cendrillon. La semaine dernière, Marie-Cléo a reçu le film *Cendrillon* pour sa fête. Depuis, elle oublie de peigner les cheveux de ses 22 000 poupées Barbie.

C'est un film super ennuyant avec des souris et des oiseaux qui chantent. La fille qui s'appelle Cendrillon est tellement dans la lune qu'elle oublie ses souliers partout.

Évidemment, ma sœur l'adore!

5

Opération hamburger

J'ai eu une nouvelle idée gé-ni-a-le. Cette fois, c'est sûr, Isabella sera hyper impressionnée. Sinon, à moins d'avoir trois oreilles et quatre yeux, personne ne peut l'épater.

Opération Hamburger

But : Le même qu'Opération Batman.

Méthode : Faire le super truc du mangeur de hamburgers.

Date : Demain.

Matériel : Au moins 20 $.

En attendant d'épater Isabella, je meurs de faim. Tellement que je pourrais avaler un spaghetti aux crottes de nez ou un sandwich aux petits pois. Mais je me retiens. Ça fait partie du plan.

Ce soir, ma mère avait préparé une lasagne géante. Je raffole de ses lasagnes avec des tas d'étages, beaucoup de viande et une belle couverture de fromage doré.

Tant pis! J'ai fait comme si je n'en avais pas envie.

— Tu n'as pas faim, mon coco?

Ma mère se prend pour une poule. Depuis que je suis sorti de son ventre, elle m'appelle «mon coco». Ce soir, ma petite maman poule s'inquiétait parce que son coco n'avalait rien.

— Je prendrais juste un verre d'eau. Je ne me sens pas très bien.

Ma mère s'est tout de suite énervée. Deux secondes plus tard, j'avais un thermomètre sous la langue. Heureusement que la température de mon corps était normale. Sinon, je serais à l'hôpital.

En bon comédien, j'ai bu lentement mon verre d'eau sans oublier de soupirer souvent.

— Je pense que je vais aller lire dans ma chambre… Surtout que je n'ai rien d'autre à faire.

J'espérais que ma mère aurait honte d'empêcher un pauvre malade de regarder le match de hockey à la télé. Surtout que Montréal affrontait Boston.

Au bout de cinq minutes, toc! toc! toc! à ma porte. Yé! Ma mère a changé d'idée pour le hockey.

Non! C'est Marie-Cléo.

— Vas-tu aller à *la pital*, *Alexzis*?

Sur le coup, je n'ai pas compris. Je comprends moins bien la langue *gagagougou* quand j'ai le ventre creux.

— Non, Marie-Cléo. Je suis juste un peu malade. Je n'irai pas à l'hô-pi-tal.

Avant de repartir, elle m'a donné un cadeau. Une feuille barbouillée de cercles et de lignes de toutes les couleurs.

— *Z'ai deziné* des fleurs pour ton *guérizement.*

Je l'ai embrassée, même si ses fleurs, il fallait les deviner. Parce que je suis fin. Et qu'il y a des jours où je suis un peu content d'avoir une sœur.

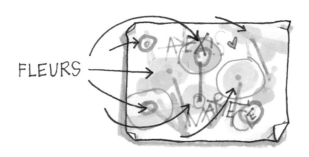

FLEURS

.

6

Au secours!

Ce matin, avant de partir pour l'école, j'ai bu un demi-verre de jus de raisin. C'est tout. Juste assez pour ne pas tomber dans les pommes.

Pour me donner du courage, j'ai imaginé la montagne de hamburgers que j'allais dévorer à midi.

Tous les mercredis, des bénévoles vendent des hamburgers à l'école. Rien à voir avec un Big Mac. Ils sont un peu secs et ratatinés mais coûtent seulement deux dollars.

J'avais vingt dollars dans ma poche. Deux mois de salaire! Dix sacs de poubelles descendus à la rue. Et on habite au deuxième étage.

D'habitude, le matin, j'avale:
- deux tranches de pain grillé
- deux œufs brouillés
- un bol géant de céréales *Cric Crac Crounche*
- trois verres de jus de raisin

Maman dit que j'ai un gros appétit. Son petit coco mange autant qu'un éléphant.

Mon plan, pour l'heure du midi, c'était de manger. Beaucoup. Énormément. Gigantesquement. Et j'ai pensé qu'avec l'estomac vide, je pourrais dévorer au moins dix hamburgers à la cafétéria.

Ça devrait suffire pour impressionner Isabella.

Pendant tout l'avant-midi, mon ventre a fait des drôles de bruits. Grrrrr! Grrraaaa! Grrroouuuttttche! Traduction: «Au secours! Remplis-moi!»

À 12 h 01, j'ai acheté dix hamburgers. Les quatre cent quarante-six élèves de l'école Sainte-Gertrude m'observaient. Je me suis installé devant Isabella et j'ai fait comme si tout était normal. Comme si je mangeais dix hamburgers tous les midis.

J'en ai avalé un. Exquis. Deux. Presque mieux. Trois. Encore délicieux.

Le quatrième avait moins bon goût. Le cinquième m'a donné mal au cœur. Au sixième, j'ai pensé à l'évier de cuisine qui déborde quand on lui donne trop de trucs à avaler. Au septième, j'ai senti l'évier déborder.

Avant le huitième, j'ai couru jusqu'aux toilettes.

Ce n'est pas facile de vomir en essayant de rester discret. Je ne voulais quand même pas que toute l'école m'entende. Surtout que c'était un véritable déluge.

Diego a justement choisi ce moment pour aller faire pipi. Ou pour m'espionner.

— Ça ne va pas, Alexis? Aurais-tu trop mangé peut-être?

J'avais envie de lui tordre la langue.

Le pire, c'est que je ne sais même pas si mon plan a réussi.

Au début, j'avais tellement faim que j'ai oublié de regarder Isabella. Ensuite, je me suis concentré sur les hamburgers à faire disparaître.

M'a-t-elle admiré? A-t-elle remarqué les dégoulinades de ketchup et de moutarde sur mon menton? Et mon visage vert grenouille à partir du sixième hamburger?

Me trouve-t-elle idiot ou épatant?

Je le saurai bientôt. Parce qu'après-demain, c'est la Saint-Valentin.

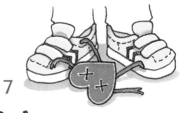

7

Je t'aime

— Veux-tu voir quelque chose de vraiment cool? me demande Diego juste avant qu'on entre dans la classe.

Je suis censé répondre quoi? Non, ce qui est vraiment cool ne m'intéresse pas?

— Les filles m'aiment tellement que je suis inondé de lettres d'amour, dit-il.

— Je gage que la dernière vient de ta mère.

— Non, c'est d'Isabella.

Mon cœur fait trois culbutes, deux roues complètes et quatre sauts périlleux avant de s'écraser à mes pieds.

Diego me plaque sous le nez une feuille de papier décorée de cœurs au milieu de laquelle est écrit en grosses lettres de toutes les couleurs :

Je t'aime mon beau Diego,
XOXOXO
Isabella

Quoi ?! Non ! C'est impossible. C'est trop affreux.

Ma belle comète aime Diego. Ma Valentine préfère les espions.

Macaroni nous distribue des bouts de papier. J'épie Isabella pendant qu'elle écrit le nom du Valentin qu'elle a choisi. Diego, c'est sûr !

Moi, je n'écris rien. Je dessine des lettres sans que mon crayon touche au papier.

J'imagine Isabella en robe de mariée devant Diego.

Avant, j'avais hâte de faire plein de choses avec Isabella :

- Lui montrer ma collection de papillons
- L'inviter à manger un super sandwich de mon invention à la maison

- L'aider à apprivoiser Batman
- La faire rire avec mes bandes
  dessinées

Mais Isabella et moi c'est fini. Elle aime Diego.

Aujourd'hui, c'est la pire journée de ma vie.

8

Youpi! Yé! Fiou!

Je ne comprends plus rien. Hier, j'ai VU le mot d'amour qu'Isabella a écrit.

Pourtant, Macaroni vient d'annoncer que Rosaline sera la Valentine de Diego. Notre enseignante a pigé leur nom au hasard.

Youpi! Yé! Fiou!

Est-ce que ça veut dire que Diego avait choisi une autre Valentine? Ou qu'Isabella ne l'aime plus déjà?

Dans toute la classe, les seuls élèves qui ont choisi le bon Valentin sont :

- Elliott et Élodie
- Lucas et Soledad
- William et Florence

J'ai été chanceux. Macaroni a pigé le nom de Kim pour moi. Comme elle n'est pas trop nouille, on s'est bien amusés.

Même si Kim semblait triste… Quand Macaroni a annoncé qu'Elliott et Élodie s'étaient choisis, un nuage gris est venu se stationner au-dessus de la tête de Kim. Je pense qu'elle aime Elliott.

Je pense aussi que Macaroni ne devrait plus inventer des jeux comme ça.

Et Isabella? Isabella était absente aujourd'hui. Ça m'a donné une idée.

J'ai attendu après la dernière cloche de la journée pour en parler à Macaroni.

— Ma… Madame Marcil?

Ouf! J'ai failli dire Macaroni.

— Oui, Alexis?

— Si vous me donnez l'adresse d'Isabella, je pourrais lui apporter ses devoirs. C'est sur ma route…

La vérité, c'est que je n'avais aucune idée où habite Isabella.

Macaroni a écrit l'adresse sur un bout de papier : 1032, rue de Bullion.

C'est presque à côté de chez moi !

J'ai appuyé sur la sonnette. La porte s'est ouverte.

Un désastre sur deux pattes est apparu. Une copie de ma sœur mais en version garçon.

Pas de bonjour ni rien.

Un filet de morve pendait au bout de son nez. Il l'a épongé avec la manche de son chandail.

— Tu veux quoi? a-t-il beuglé.

Par chance, une jolie dame est arrivée. Elle ressemblait à Isabella. En plus vieux et plus grand.

Le désastre s'est éclipsé.

— Bon… jour. J'ai apporté les devoirs d'Alexis. Euh!… Je veux dire… Je m'appelle Alexis. Je suis en troisième, moi aussi. Avec Ma… Madame Marcil. J'ai les devoirs d'Isabella.

— Comme c'est gentil. Entre, veux-tu? Viens prendre une collation avec Isabella. J'ai de bons carrés à la guimauve si tu as faim. Mais prépare-toi! Isabella est dans un triste état.

9

Gros bisous

Quand je l'ai vue, à moitié noyée dans les draps bleus de son lit, mon cœur a craqué.

Ma belle comète a attrapé la varicelle. Tout ce qui dépasse de ses draps est picoté.

Même couverte de boutons, Isabella est jolie. Son sourire reste ensoleillé et ses yeux rient toujours.

— Bonjour Alexis! Je suis contente de te voir!

Cinq beaux papillons sont épinglés sur un tableau au-dessus de son lit. L'un d'eux a de grandes ailes orangées avec des cercles mauve foncé. J'en ai un pareil!

Ça m'a rappelé tout ce que j'avais rêvé de faire avec Isabella. J'ai souri à mon tour.

Puis… Je ne sais pas ce qui m'a pris! Je ne l'avais pas prévu. Je n'ai pas réfléchi. C'est arrivé comme au cinéma.

Je me suis approché d'elle. J'ai fermé les yeux. Et je l'ai embrassée.

Entre deux picots, sur la joue gauche, juste à côté du nez.

Après, j'ai eu envie de me métamor- phoser en courant d'air. Ou de disparaître dix kilomètres sous terre.

C'était la première fois que j'embras- sais une fille. Ma mère, ça ne compte pas.

Marie-Cléo, non plus. Ma sœur donne des becs mous et collants, aux miettes de biscuits ou à la banane écrasée.

Avec Isabella, c'est différent. Sa peau est aussi douce qu'une aile de papillon.

Après, on était tous les deux embarrassés. Je pense qu'Isabella a rougi. Mais avec tous ses picots, je n'en suis pas certain.

— Merci d'être venu. C'est plate d'avoir la varicelle. Ça pique.

Elle a raison. Je le sais parce que je l'ai déjà attrapé moi aussi. J'allais le dire à Isabella lorsque mes yeux se sont posés sur un message à côté de son lit.

Gros bisous
à mon Diego chéri,
XXXXXX
Isabella

— Alexis? Es-tu malade, toi aussi? Tu as l'air bizarre tout à coup!

J'entendais Isabella, mais je ne pouvais pas répondre. Je ne savais pas quoi répondre.

D'une voix inquiète, elle a appelé:

— Diego! Viens ici! Vite!

Quoi? Lui ici? Ah non! Là, c'est trop!

J'allais me fâcher lorsque le désastre morveux est apparu.

Et soudain, j'ai compris. Le petit frère d'Isabella s'appelle Diego.

Il adore sa grande sœur et pleure chaque fois qu'elle quitte la maison. Alors, Isabella lui écrit des mots d'amour pour le consoler.

Diego l'espion s'est trompé. Le message d'amour qu'il a trouvé par terre dans la classe n'était pas pour lui.

J'étais tellement content, tellement rassuré, tellement excité que j'ai failli embrasser Isabella une seconde fois.

— Alexis! Ça va? Veux-tu que Diego t'apporte un verre d'eau?

— Non, non, ça va bien. Je suis en super forme. Même que j'ai très, très faim. Si ta mère avait d'autres carrés à la guimauve, j'en prendrais bien une petite douzaine.

Moi, le bonheur, ça me creuse l'appétit.

10

Le secret d'Isabella

Isabella m'avait-elle choisi comme Valentin? Je donnerais tout ce que je possède pour connaître la réponse.

Qui sait? Ma belle comète aime peut-être Raphaël. Ou Vu. Ou personne.

Je pourrais lui poser la question demain après l'école. Parce que c'est sûr que je vais lui apporter ses devoirs.

Même que je ne détesterais pas qu'elle attrape une autre maladie tout de suite après la varicelle. Quelque chose qui ne fait pas mal mais qui empêche d'aller à l'école.

J'aime ça lui apporter ses devoirs.

J'aime ça manger des carrés à la guimauve à côté d'elle.

J'aime ça quand elle sourit juste pour moi.

J'aime ça…

On sonne à la porte.

C'est Diego. Le petit, pas le grand. Il reste planté devant moi, l'air mauvais, sans dire un mot.

Il faut avouer que même s'il était assez poli pour dire bonjour, il ne pourrait pas. Monsieur mâche une gomme grosse comme une balle de ping-pong. Et monsieur semble furieux.

Il crache sa vieille gomme sur le per-ron. Ça fait un gros motton dégoûtant, tout baveux et collant.

— Ma sœur t'aime pas!

— C'est elle qui t'envoie dire ça?

Diego ne répond pas. Ses yeux res-semblent à des pistolets, prêts à tirer.

— Ma sœur n'aime que MOI, tu sauras. Elle me dit tous ses secrets. Je le savais qu'elle t'avait choisi comme Valentin.

Quoi?! C'est MOI le Valentin d'Isabella? Je suis trop content! Je me sens tellement léger que je vais m'envoler.

Diego me ramène sur terre.

— C'est de ma faute si Isabella est pleine de picots. Je lui ai demandé d'aller chercher ma tuque chez Nathan. Je savais qu'il avait la *varicerelle*...

— Espèce de petit monstre! Tu as fait exprès pour rendre ta sœur malade.

— Je veux pas que ma sœur soit ta Valentine.

Il continue de me dévisager, fier de lui.

— Pis je veux plus jamais que tu viennes chez nous. Compris?

J'ai envie de le transformer en ketchup. Sauf qu'il se met à pleurer tout à coup. Et pas juste un peu.

— Je veux pas que ma sœur soit ta Valentine, braille-t-il en morvant et en reniflant.

Il fait vraiment pitié. Je le comprends d'être fou d'Isabella.

Je voudrais le serrer dans mes bras, lui donner tout ce qui me reste d'argent de poche pour qu'il s'achète des boules de gomme géantes. N'importe quoi pour qu'il arrête de pleurer.

Mais j'ai une meilleure idée.

— Marie-Cléo! Viens ici! J'ai un ami à te présenter.

Ma sœur arrive presque tout de suite. Elle a des marques de crayons-feutres sur les mains, les joues, le front et le bout du nez.

En la voyant, Diego arrête immédiate-ment de pleurer. Il la dévisage sans vou-loir la fusiller. Même qu'il lui sourit!

Qui sait, Marie-Cléo sera peut-être sa Valentine un jour.

Pour ma part, c'est déjà réglé. J'ai la plus belle Valentine picotée.

Photo: © Martine Doyon

Dominique Demers

Dominique Demers a signé plus de 70 œuvres de fiction pour enfants, adolescents et adultes. Aujourd'hui devenu un classique de la littérature québécoise, *Valentine Picotée* est son tout premier roman. Il a fait rire et transmis le goût de lire à plusieurs générations d'enfants.

Adresse du site de l'auteure :
dominiquedemers.ca

De la même auteure chez Québec Amérique

Adulte

Mon fol amour, coll. Tous Continents, 2017.

Chronique d'un cancer ordinaire – Ma vie avec Igor, Hors collection, 2014.

Pour que tienne la terre, coll. Tous Continents, 2013.

Là où la mer commence, coll. Tous Continents, 2011.

Au bonheur de lire, Comment donner le goût de lire à son enfant de 0 à 8 ans, coll. Dossiers et Documents, 2009.

Pour rallumer les étoiles, coll. Tous Continents, 2006.

Le Pari, coll. Tous Continents, 1999 ; nouvelle édition en format de poche, coll. Nomades, 2016.

Maïna, coll. Tous Continents, 1997 ; nouvelle édition, 2014.

Marie-Tempête, coll. Tous Continents, 1997.

La Bibliothèque des enfants, Des trésors pour les 0 à 9 ans, coll. Explorations, 1995.

Du Petit Poucet au Dernier des raisins, coll. Explorations, 1994.

Andréane Bossé

Exploratrice de l'art sous toutes ses formes, Andréane Bossé sillonne à présent les vastes territoires de l'illustration. Elle y retrouve Alexis, un ami de son enfance qui l'a initiée aux univers passionnants des livres et des histoires.

C'est avec bonheur qu'elle revisite ses trépidantes aventures, en leur offrant de nouvelles couleurs.

Fiches d'exploitation pédagogique

Elles accompagnent une grande partie de nos livres!
Retrouvez-les sur notre site Internet à la section Enseignants

quebec-amerique.com

MARQUIS

Québec, Canada